뭉근하게 씁니다

뭉근하게 씁니다

발 행 | 2023년 12월 14일
저 자 | 김다율, 배슬기, 이소영
펴낸이 | 한건희
펴낸곳 | 주식회사 부크크
출판사등록 | 2014.07.15(제2014-16호)
주 소 | 서울특별시 금천구 가산디지털1로 119 SK트윈타워 A동 305호
전 화 | 1670-8316
이메일 | info@bookk.co.kr

ISBN | 979-11-410-5970-5

뭉근하게
씁니다

김다율, 배슬기, 이소영 지음

CONTENT

들어가는 말

김다율 : 글을 꾸준히 쓰려고 노력하고 노력했습니다. 마음을 먹어도 쉽지 않은 일이었고, 잊지 않고 지속해서 한다는 건 제겐 굉장히 어려운 일이었어요. 목요 서사를 통해 제 버킷리스트 중하나를 이룰 수 있게 된 것 같습니다. 좋은 글을 쓰는 작가들을 만났고, 제 글에 반응을 보여주고 감상을 해주는 독자들을 만났습니다. 머리에 있는 글들을 끄적여내려가며 새로운 독자들을 만날 생각을 하니 설레이기도 하지만 두렵기도 합니다. 다만, 새로운 도전임에는 분명하고 그리고 그 도전이 나를 더 발전시켜주리라 확신합니다. 목요 서사는 제게 하나의 발판이 되었습니다. 감사합니다 :)

배슬기 : 목요 서사는 온라인 사랑방이다. '기록하는 사람이 되고싶다'란 마음에서 머물러 있었는데 목요일마다 글을 쓰기 위해서 노트북 앞에 앉을 수 있게 해준 소중한 모임이다. 같은 주제로 쓴 다른 분들의 글을 읽어보면서 나의 삶은 풍부해졌다. 때로는 내용을 곱씹고 어떤 단어가 적절할지 몰라 감상평을 쓰지 못하기도 했지만 '아, 나도 그렇지. 그럴 수도 있겠다. 나도 그렇고 싶다' 생각을 하고 나를 발견했던 시간이었다. 코로나 이후 사람들과의 만남이 줄고, 집-회사 다니는 단조로운 나의 일상에서 목요서사는 글로써 사람들과 만날 수 있던 따뜻한 곳이었다.

김다율

생각하는 것을 멈추는 법을 생각중인 활자 중독자.
그냥 '나'를 본캐로 시작해 워커홀릭 마케터부터 여전히 대학생
인 부캐, 필명을 쓰는 작가 부캐 등등 관심사가 많이 지루할
틈이 없는 3n살의 머글 버전 헤르미온느.

지 금 도 충 분 히 잘 하 고 있 어 요 .
강 한 사 람 이 에 요 .

사실 글을 쓰기 전 주제(당신의 그 한마디가 내 마음을
바꾸었어요)들을 받았을 때 가장 쓸 말이 많은 주제였다. 원래는
"네 잘못이 아니야."라는 말이었지만 생각해 보니 그건 내가
나에게 스스로 했던 말이고, 지금의 내 모습을 만들었다고
하기엔 너무나도 오래된 말이라 고민이 많았다.

우연이겠지만 개명을 하기 전까지 다사다난한 인생을 살고
있었다. 30대 중반. 어른이 되어 뭐든 척척 해낼 것 같은 나이라
생각했지만 난 아직 더 자라야하는 사람이었다. (10대 시절
상상하던 30대 중반이 나는 그럴싸한 차를 운전하며 높은
직급에 있는 커리어 우먼이었다.)

20대에서 30대를 넘어가던 시기에 입사한 회사에서 내
명의로 법인 설립을 하고 세금을 체납해 우리집에는 흔히 빨간
딱지라 말하는 압류 딱지가 붙었다. 형사 소송을 준비하려

했지만 코로나로 인해 장기화가 될 가능성이 있어서 민사 소송을 준비했다. 하지만 그 역시 길고 긴 늪과 같았고 나는 빠르게 지쳐갔다. 국세는 생각하는 것보다 굉장히 무서운 놈이라 이용하던 카드 정지는 기본이었고 내 명의로 할 수 있는 건 아무것도 없었다. 심지어 최근엔 굉장히 쉽게 허가가 난다는 개명도 나에게는 불허라는 통지서가 날아왔다. 이유는 국세 체납이었다.

작고 소중한 월급이 들어오는 통장마저 압류되어버릴까 걱정하는 마음으로 하루하루를 버티며 살아갔다. 당장이라도 우체국으로 달려가 통장을 다시 만들어야하나 생각했다(우체국 통장은 압류가 되지 않는다는 말이 있었다!). 세상에서 제일 사랑하는 외할아버지가 돌아가셨고, 외할머니를 요양병원에 모신지 2년이 넘어갔다. 아버지의 건강 악화로 부모님은 수도권에서 2시간 반 이상 걸리는 시골로 이사를 갔고 할머니를 돌보는 건 내 몫이다. 할아버지 때도 그랬지만 '자식'이라 불리우는 사람들이 아무것도 하지 않으니, 나에게 아무런 조건 없이 바람 없이 그들이 준 사랑을 보답하는 길이라 생각하고 내가 주 보호자를 하고 있었고 지금도 하고 있다. 적어도 2-3일에 한 번씩 전화 오는 할머니의 전화를 받는 것도, 간식거리를 챙기고 요양병원에서 일어나는 특이사항에 대해 이야기를 듣는 것도 내 몫이 되었다.

아마도 중학교 때부터 내가 '우울함'을 일컫는 우울괴물은 내 옆에 있었다. 그림자에 숨어있는 건지 툭하면 나타나서 날 힘들게 했다. 성인이 되고 자유와 책임을 동시에 느끼면서, 회사일이나 사람에 지쳐가면서 너무나도 힘든 시간들이 많았지만 그래도 스스로는 우울괴물에게 지지않고 잘 버텨오고 있다고 생각했다.

　　어느 일요일 새벽 6시, 초인종과 더불어 현관문을 두드리는 소리에 번쩍 눈이 떠졌고, 그날 나는 빨간 딱지로 가득한 내 공간을 마주하게 되었다. 유일한 안식처이던 공간이 더 이상 쉴

수 없는 두려운 공간으로 바뀌는 순간이었다. 그 후로 가뜩이나 예민했던 신경은 더욱 쇠약해져갔다. 결국 정신과에 다시 찾아갔다.

차마 글로 적을 수 없는 나의 많은 이야기들을 듣고 상담을 하고 꽤 오랜 시간 나를 만나면서 의사 선생님은 나에게 "다율씨. 지금도 충분히 잘 하고 있어요. 강한 사람이에요. 나 같았으면 무너졌을거에요. 버틴다는 말이 맞을지 모르겠지만 버티고 있는 다율씨가 정말 대단하다고 생각해요. 더 잘 하려고 본인이 모든 걸 다 하려고 하지마요."라는 말을 했다.

'나는 스스로 잘하고 있는 게 맞을까?'라고 의심했던 내 속을 선생님이 꿰뚫어 버렸다.

주변에서도 "고생이 많다" 라던가 "힘내" 같은 말은 수없이 많이 들었지만 이미 지칠 대로 지친 나에게 도움이 되는 건, 위로가 되는 거 없었다.

워낙 어린 시절 부터 "넌 강한 사람이잖아."라는 말을 듣고 자랐고 그 말을 좋아하지 않았다. 난 눈물도 많고 마음도 여리고 상처도 잘 받는 그런 사람인데 그런 그들이 내게 하는 말들은 이미 어린 나이에 혼자 소리 없이 베개에 얼굴을 파묻고 우는 방법을 익히게 한 말이었다.

나와 많은 시간을 지낸 그들조차 내 약하고 여린 면을 보지 못하고 그런 말을 했지만, 처음 만난 선생님은 한없이 약해지는 나에게 혼자서 다 하지 않아도 괜찮다며, 그럼에도 불구하고 강한 사람이고, 충분히 잘 하고 있다고 나를 말로서 안아줬다.

2022년 내 생일날, 아버지가 시한부 판정을 받으셨다. 전화상을 들은 말로는 3-6개월을 이야기 했지만, 다음날 회사 반차를 쓴 후 급하게 달려가 병원에서 마주한 의사에게서 아버지와 우리 가족에게 남은 시간은 겨우 2-4주라는 믿고 싶지 않을 정도로 아주 짧은 시간을 얘기했다. 엄마의 재혼으로 만나게 된 아버지지만 정말 존경하고 좋아하는 분이라 머리가 멍해졌다. 다만 엄마나 다른 가족보다 내가 그나마 정신을 차릴 수 있을 것 같아서 의사를 만나고 형부에게 전달을 하고 임종을 맞이할 준비를 하고 있다. (아버지의 재혼으로 외동이던 나는 남매로 변화했다.)

어떻게 지나갔는지 모를 정도로 정신없이 주말이 지나가는 데, 할머니가 전화 해서는 이상한 소리를 했다. 치매 초기 증상. 본인의 과거 이야기를 계속 하고 찾아오지 않은 사람과 대화를 했다며 아무도 알아듣지 못할 이야기를 계속 했다. 과거에

농사를 짓던 이야기를 마치 현재인 것 처럼 계속해서 말했다. 할아버지도 그렇게 죽음이 가까워졌기에 내 불안은, 내 공포는, 내 아픔은 마치 태풍이 휘몰아치는 듯 그렇게 다가오고 있다.

그래도 난 잘 이겨낼 수 있을 거라는 생각이 드는 건, 난 충분히 강한 사람이니까. 버티는 게 아니라 이겨낼 거라고 믿으니까. (모두 그렇게 믿고 생각하니까.

소 설 보 다 도   더   소 설   같 은   이 야 기

　흔히들 이야기한다. '삶'이 '소설'이나 '영화'보다도 더욱더 믿기
힘든 일로 가득하다고. 내 꿈은 여러 가지가 있지만 그중 하나는
'평범하게 사는 것'이다.

　물론 추리소설 같은 일들이 주변에서 일어나고 있지는 않다.
그렇다면 난 정말 명탐정 코난이 되었을 수도 있다. 하지만
'정말로 네가 이 일들을 다 겪었다고?' 싶은 일들이 내게는
너무나도 많이 일어났다.

　그냥 대충 쓰-윽 돌이켜 봐도 혈액형이 바뀌었다던가(무려
탐정 애니메이션계의 원조(?) '명탐정 코난'에서도 나오는 이야기.
난 아마 cisAB형으로 예상되나 아직도 정밀 검사를 하지
못했다.) 몇 번이고 죽을 뻔한 사고를 당했다던가(물에 빠져 겨우
구해졌다던가, 교통사고라던가), 사고로 인해 지옥문 앞까지
다녀온 아빠라던가, 생전 들도 보도 못한 희귀병에 걸려 논문의
대상이 된 엄마라던가 기타 등등.

스스로 생각해도, 친한 지인들의 말에 의해서도 어쨌든 내 인생은 참 다사다난했다. 그리고 현재진행형이기도 하다.

좋아하는 배우인 짐 캐리 주연의 <트루먼 쇼(1998)>를 보기 전부터, 그러니까 초등학생 때의 나는 '인간이 주변 환경의 영향으로 어디까지 지치고 과연 그것을 얼마나 버틸 수 있는가.'라는 실험의 대상자라고 생각했다. 물론 그런 실험은 존재하지 않는다는 것을 지금은 알지만(과연?), 어디선가 나를 감시하고 주변인들도 그 실험을 진행하는 가담자들이라고 생각했던 적이 있었다.

<트루먼 쇼>를 처음 봤을 때 '아, 역시!'라고 생각하다가 성장하면서 '내가 먼저 시나리오를 썼어야 했어.'라고 했을 정도로 의심하고 또 의심하는 삶을 살아왔다.

좋지 않은 일로 상처를 받고 그 상처가 채 아물기도 전에 또 다른 상처가 생기고, 상처를 치유하는 법을 알지 못해 곪아 버릴 때까지 방치하고 애써 아물어가는 상처의 딱지를 스스로 떼내어버리기를 반복하면서 지금의 내가 됐다.

내 글은 무척이나 우울해서 보는 사람까지 우울하게 만드는 영향을 끼친다는 것을 알고 있다. 하지만 생각보다 글은 내 생각을 담담하게 받아줘서 위로를 받는 사람들도 있다는 것을 알고 놀랐다.

난 여전히 동이 트지 못한 새벽에 살고 있지만, 상처의 흔적들이 흉터가 되어 남아있지만, 한층 더 단단해지고 있고 곧 떠오를 해를 기다리는 여유를 가진 사람이 될 수 있었다. 어스름한 새벽을 즐기며 하늘의 별을 보고 기뻐할 줄 아는 사람이 되었고, 작은 것에 행복을 느끼며 스스로를 소중히 여길 줄 아는 사람이 되었다.

앞으로 나는 더욱더 현재까지 겪어온 아픔들로 인해 성장한 날 보다 성장할 일이 남았고, '소설보다 더 소설 같이 겪어 온 모든 일들'은 지금까지의 성장에, 앞으로의 성장에 있어서 더 큰 장벽과 고난들을 허물어 줄 무기와도 같은 것이라 생각하게 되었다.

비극으로 가득 찬 판타지 드라마 같은 내 인생의 끝은 남들에게 잘 보이기 위한 삶이 아니라 나를 위해 내가 만들어 나가는 해피엔딩의 결말이길, 이미 일어난 일에 속상해하지 않으며 오늘을 오롯이 즐기고 내일을 기대하는 인생을 살아갈 수 있기를 기망한다.

원래 모든 장르에서 주인공이 강해지는 데는 시련이 필요하고 그로 인해 성장하고 각성하는 법! 얼마나 더 많은 격량을 헤쳐나갈지 한치 앞도 모르지만 새벽이 길었던 만큼 더 밝은 해가 떠오를 거고 난 우여곡절이 많지만 그래도 꽤나 괜찮은 인생을 살았다고 '지금'을 돌이켜 볼 시간이 올 거라고 믿는다. 그게 보편적인 이야기의 법칙이니까.

내 인생을 바꾼 책, 영화

난 자타공인 엄청난 책벌레였다. (지금도 갖고 있는 별명 중 하나가 '활자중독'이다.) 어린 시절 부모님의 차를 타고 이동을 할 때마다 뒷자리에서 책을 읽고 그러고도 다 읽어 버린 책으로 심심해하는 나를 위해 부모님은 길거리에 보이는 서점에 들려서

새로운 책을 사주고 집에 돌아와 늦은 시간에도 새로운 책을 다 읽기 위해 침대 이불 속에 숨어 독서를 즐겼다.

책을 읽는 다는 것은 나에게 새로운 상상의 세계를 열어줬고 간접적으로 많은 경험을 하게 해줬다. 아무것도 하지 않고 책을 읽을 때는 하루에 4-5권씩 잡히는 대로 읽어가며 읽고 또 읽는 그 시간이, 그 느낌이, 그 상상 속의 모든 것이 너무나도 좋았다.

사실 거창한 주제이기는 하지만 그냥 나에게 삶이 변화를 준 책이나 영화를 같이 공유하고 싶었다. 머릿속에 떠다니는 책 제목들이 너무나 많지만 문득 떠오른 책은 2017년도에 출판한 러네이 엥겔른의 <거울 앞에서 너무 많은 시간을 보냈다> 라는 책이다.

나는 외모 컴플렉스가 굉장히 심해서 거울을 보는 것도 좋아하지 않았고, 내 자신을 믿지도, 사랑하지도 않았다.(거울을 수건으로 덮어놓고 보지도 않았던 시기도 있다.) 난 자존감이 굉장히 낮은 사람이었다. 30살이 되기까지도 여전히 나는 내 자신을 사랑한다고 외쳐 본 기억이 없는 사람이었다.

흔히 뻔한 이야기가 나열되어 있는 자기계발서는 좋아하지 않고 읽더라도 "응, 그래. 다 알아" 정도로 넘기던 나에게 <거울

앞에서 너무 많은 시간을 보냈다>는 문장 하나하나가 나를 찰지게 혼내면서 안아주는 느낌이었다.

남의 시선은 신경쓰지 않는다고 외치면서, 난 사실 남의 시선을 많이 신경쓰고 있었고 남들에게 잘 보이기 위해 나에게 고통을 주고 있었다. 이 책은 비단 외모에 관한 내용 뿐만 아니라 정말로 나를 사랑할 수 있게 만들어 주는 그런 내용들이 가득했다.

사실 뻔한 이야기들로 가득하지만 나에게 외모 강박, 남들에게 잘 보이기 위한 강박의 고리를 끊어주었고 나는 보다 나답게, 내가 원하는 모습대로 살아가며 나를 사랑할 수 있게 되었다. 나를 사랑하기 시작하자 자존감은 높아졌고, 내 옆에 있는 사람들을 더욱 사랑할 수 있는 사람이 되었다. 그래서인지 한동안 주변에게 이 책을 굉장히 추천하고 다녔는데, 지금도 자존감이 낮아 고민하는 사람이 있다면 꼭 읽어보라고 선물해주고 싶은 그런 변화의 책이다.

-

대학교를 가고 싶지 않았으나 내가 선택해서 진학한 전공은 '영화제작'이었다. 사실 어릴 적 꿈은 법조인이었고 올바른

판단을 내리고 약자를 돕고 잘못된 강자에게 벌을 내리는 사람이 되고 싶었다.

내 기억속에 17살 무렵, 뉴스에서 국가 지원금, 소외 계층 등에 대한 내용들이 연일 보도되었던 것 같다. 떠들썩하게 신문을 장식하고 인터넷 커뮤니티에서도 법 개정이니 정치가 어떠니 떠들어되더니 3-4일쯤 지났을까, 뜨거운 양은 냄비가 식어버리듯 그 뉴스는 사라졌고 시간이 흐를 수록 내용을 기억하는 사람들이 없어졌다.

나는 좋은 영향력을 주는 사람이 되고 싶었다. 그래서 법조인이라 불리우는 판사가, 검사가, 변호사가 되어 선한 행동을 하고 누군가에게 '변화'할 수 있는 기회를 주고 그런 이야기를 전달하고 싶었는데 그런 '사건'이나 '뉴스'들은 사람들을 잠깐 들끓게 할 뿐, 아무런 변화도 주지 못했다.

그래서 조금이라도 많은 사람들에게 세상의 부조리함 같은 내용을 알리고자 'PD수첩'이나 '그것이 알고 싶다' 같은 방송을 하는 PD가 되고 싶었으나, 장래에 대한 계획을 정하던 그 시점에 그런 시사방송들이 흔들리도록 압박하는 여러 사건들이 일어났고 방송의 길을 포기하게 되었다. 외압을 받는 다는 건 나에게 용납할 수 없는 일과도 같았다. 그 후 꿈과 내 미래에 대해 고민하던 중 조금 더 긴 시간을 투자해서, 시공간의 제약없이 조금 더 자유롭게 내가 하고자 하는 이야기를 풀어나갈 수 있는 방법인 '영화'로 진로를 선택했다.

약 6개월의 짧은 외국 생활 이후 한국으로 돌아와 입학을 한 대학에서 '그러한 이야기들(소외된 이야기, 부조리한 이야기)'을 시나리오로 적어 과제를 제출했지만 교수님에게 돌아오는 답변은 "네 시나리오는 대중영화로 성공을 못한다. 우리나라에선 절대 불가능해." 같은 말 뿐이었다. "이런 영화는 영화제에나 먹히지"라는 말에 진짜로 해외 영화제를 노려야 하나 고민하다가 결국 난 휴학을 했다.

그렇게 꿈만 간직한 채 살아가던 중 공지영 작가의 소설을 영화로 만든 황동혁 감독의 <도가니>를 보게 됐다. 지금 생각해도 너무나 끔찍하고 안타까운 사건을 다룬 이 영화는, 내가 왜 영화를 하려고 했는지 다시 한 번 깨닫게 해줬다. 이 영화는 대한민국 최초의 고발영화라고 해도 과언이 아닌 영화임에도 불구하고 나름 '흥행'이라는 것을 하면서 실제 모티브 사건 자체가 엄청난 관심을 받았다. 사실 쉽지 않은 재수사부터 해당 학교는 폐교도 되었고 이 영화를 기점으로 사회의 부조리한 면을 고발하는 영화들이 많이 나오게 되었다. (이 영화를 보면서 의자가 덜덜 떨릴 정도로 오열을 했던 기억이 있다.)

영화 <도가니>는 개봉 당시 청소년 관람불가였는데 이런 영화를 청소년들이 많이 보고 자신을 지킬 줄 알고, 어른이 되었을 때 이런 일을 막을 수 있도록 관람가를 낮추기를 바랬었다. 실제로 감독이나 제작진들도 관람등급 재심의를 요청했으나 통과하지 못해 아쉬워 했던 기억이 있다.

나는 아직도 여전히 '선한 영향력을 줄 수 있는 영화' 한 편을 만드는 게 버킷리스트 중 하나다. 아쉽게도 <도가니> 이후에 개봉한 비슷한 류의 영화들은 '흥행 실패'를 했다. 사람들은 영화를 보러 극장에 가기 위해 시간과 돈을 쓴다. 일상의 스트레스 등을 풀기 위해 극장을 찾는데, 이러한 영화들은 '스트레스'를 오히려 떠 안겨 준다. 문화적인, 정치적인 가치는 분명히 있는 영화지만 오락성은 없다. 굳이 나의 시간과 돈을 희생하면서 이런 영화를 보고자 하는 사람들은 줄어들 수 밖에 없다. 그럼에도 불구하고 나는 이런 고발적 성격을 가진 영화가 많이 나오길 바란다.

여담으로 난 현재 여전히 이러한 영화를 꿈꾸고 있지만 실제로 하고 있지는 않다. 이 영화를 보고 당시 상처를 받았을 아이들에게 가장 해주고 싶은 말은 "네 잘못이 아니야."였고 그 말을 직접 피해자들에게 하기 위해 경찰 공무원도 준비했지만 결국 포기하고 말았다.

난 여전히 그런 말을 직접적으로 해줄 수 있는 사람이 되지 못했고, 여전히 '어른'이라서 미안한 위치에 있다. 하지만 언제든 기꺼이 선한 영향력을 나눠줄 수 있다면, 좋은 사람이 될 수 있다면 달려갈 수 있는 사람임에는 분명하다고 자부한다.

"울어도 괜찮아."

지금 가장 듣고 싶은 말, 사실 이 말을 듣는 다고 엉엉 울 만큼 약하진 않지만 그럼에도 불구하고 내 힘든 시간도, 마음도 알아주는 사람이 있기를 바란다.

가까운 사람을 벌써 몇 번을 잃은 건지(사실 셀 수 있을 정도지만) 숫자로 헤아리고 싶지 않다. 2년전 외할아버지의 죽음을 겪었을 때도, 왜인지 정신을 차려야 하는 사람은 나였고 장례 준비부터 마지막까지, 그리고 주변 사람들이 어느정도 정상으로 돌아올 때 까지 나는 울지 못했다. 아쉽게도 여전히 내가 가장 사랑한 할아버지의 부재에 대해 끝까지 울어본 적이 없다. (심지어 날 잡고 울고 갔다가 납골당에서 쫓겨난(?) 적도 있다.)

　최근 글을 다시 쓰기 위해 컴퓨터 앞에 앉기까지 약 10일 정도의 시간이 필요했다(특별한 일이 아니고는 짧은 글이라도 매일 쓰고자 노력 중이었다). 아버지의 병간호로 인해 사용할 수 있는 휴가는 다 몰아서 쓰고, 마지막 임종을 지켜보다가 10초도 울지 못한 채로 병실에서 뛰쳐나와 장례식장에 전화를 걸었다(손님이 많은 것이라 예상해서 가족들 사이에서 많이 걱정을 하던 것 중에 하나였다). 그 후 미리 가입해 두었던 상조회사에 전화를 걸고 담당의에게 사망 진단 및 서류를 요청했다. 정신없이 장례를 치루고 삼우제 이후 회사에 복귀했다. 내가 없는 동안 꼬일 때로 꼬인 업무들이 있었고 새로 들어온 업무도 상당했다. 밀린 업무를 처리하고 새로 들어온 업무를 파악하고 회사 일만으로도 정신이 없었다. 적어도 퇴근 후에는 쉬고 싶었다.

장례 내내 잠을 이루지 못하고 고생했던 남편은 '죽음'이라는 걸 처음 겪으면서 트라우마가 겹치게 됐고 많이 아팠다. 회사일을 끝내면 밀려있는 집안일은 엄두도 내지 못하고 야간에 하는 병원들을 찾아 다녀야 했다. 시골에 혼자 남겨진 엄마도 계속 아파했고 힘들어했다.

장례 후 약 10일 정도 지난 지금, 나는 여전히 슬퍼하지 못할 만큼 바쁘다. 일단 내가 두 사람을 챙겨야 한다고 한다. 주변의 지인들은 나에게 '여유'라는 것을 요구했고, 회사일을, 집안일을, 보호자 역할을 해내기를 바란다.

나는 사실 꽤 힘들고, 제법 슬프고, 무던히 지쳤고, 어지간히 울고 싶다.

그럼에도 불구하고 난 울지 못한다. 내가 울면 나에게 기대고 있는 그들이 더 이상 기대지 못할까봐, 버티고 또 버티기만 한다. 사실은 나도 울고 싶다고 말해도 나는 울지 않을 거라 믿는다.

울어도 된다고 하면, 그래도 나는 웃을 테지만, 언젠가 남들이 괜찮아질 때 그때 나는 이미 무뎌지고 익숙해져서 결국 울지 못한다.

그래도 정말 나는 사실 꽤나 힘들어서 누군가는 울어도 괜찮다고 얘기해줬으면 좋겠다.

"울어도 괜찮아."

지금 이 시점에 내가 가장 듣고 싶은 말, 그리고 늘 듣기를 바라왔던 말. 약해지고 싶지 않지만 그럼에도 불구하고 내 힘든 시간도, 마음도 알아주는 사람이 있기를 바란다.

배슬기

흩날리는 나의 일상을 붙잡고 싶고, 두루 뭉실한 것들을 선명하게 보고 싶어 글쓰기를 꾸준히 하고 싶은 "쓸기"

어렸을 때는 책 한 권도 읽지 않았다가 이십 대 중반부터 이사 갈 때 집 주변에 도서관이 있는지 찾아보는 사람. 여러 권을 읽고 싶은 마음에 10권 빌려오지만 정작 3권 읽고 반납하는 루틴을 가짐.

다른 사람들의 이야기를 통해 내 시야를 넓혀주기 때문에 이야기를 듣고 보는 것을 좋아함.

각 우주에 있는 나를 응원해

'내가 7년 전에 첫 직장을 재경팀에서 하지 않았더라면? 좀 더 심리학 공부를 했더라면? 3년 전에 시험공부를 했더라면?' 나는 종종 내가 한 선택에 대해서 마음에 들지 않거나 하지 않은 선택에 대한에 대한 미련이 있을 때 과거에 다른 선택을 하면 어땠을 까란 생각을 한다. 누구나 선택한 것에 대해서 후회를 하고, 시간 여행을 소재로 한 다양한 이야기가 인기가 있는 것 같다.

최근에 읽은 '미드나잇 라이브러리'도 그런 이야기 중에 하나다. 자살을 결심하고 시도했지만 주인공 '노라 시드'가 눈을 뜬 곳은 자정의 도서관이다. '후회의 책'에 노라가 살면서 가장 후회되는 순간들이 적혀 있고 노라는 과거로 돌아가 살아보고자 했던 다른 삶을 살아본다. 현재가 쓸모없는 삶이라고 느꼈던 노라는 수많은 삶을 경험해 보면서 순간의 사소한 선택들로 만들어진 다른 삶을 경험한다. 그리고 본인이 간절히 원했던 삶에서도 역시 후회가 있다는 것을 깨닫고 완벽한 삶은 없다는 것을 안다. 노라는 불행에서 벗어날 수 없다고 믿고 자살을 결심했는데 다양한 삶을 살아보고 현재를 살아가는 것에 의미를 찾았다. '중요한 것은 무엇을 보느냐가 아니라 어떻게 보느냐다.'란 말이 생각난다. 이 책을 읽고 과거에 다른 선택을 한, 다른 우주에서 살고 있을 나는 어떨까 상상해 봤다. '내가 NGO 에서 일했더라면? 네가 다른 곳에 이직을 했더라면?' 나는 '내 주변인들과 행복하게 사는 것'이 목표이니 각 우주에서 그것을 지향하면서 살고 있겠지?' 라며 다른 우주에 사는 나를 응원한다. 지금 나에게 주어진 삶의 서사를 내가 잘 해석하고 나의 삶을 긍정하는 것. 그것이 지금을 잘 살아내고 작고 소중한 나를 돌보는 방법이다.

향 수 병 을 잊 게 해 주 는 말 :
내 가 맞 지 않 을 수 도 있 어

'더 큰 세상을 보고 싶다, 해외 친구들을 만들고 싶다. 북유럽의
사회보장 시스템을 경험하고 싶다. 핀란드는 내게 기회를 줄
거야' 란 마음들로 2013년 1월 교환 학생 과정으로 핀란드에
갔다. 자취 경험 없이 부모님 댁에서 계속 살았던 나의 첫
자취의 공간이 핀란드 기숙사였다. 서바이벌 키트 꾸러미에는
냄비 2개, 접시 2~3개, 포크, 숟가락, 컵, 이불 등 딱 최소
물품이 들어 있었다. 그리고 말로만 듣던 북유럽의 긴 겨울을
피부로 느꼈다. 처음 도착한 날에 아침 밝은 기운을 10시나
돼서야 느낄 수 있었다. '해가 쨍쨍하게 뜨는 날이 2달 동안
100시간보다 적었다.' 라는 신문기사가 실렸을 정도였다. 겨울엔
오후 2시~3시면 해가 지는 그런 극단적인 나라에서 비행의 피로,
시차 등으로 나는 도착한 첫날 꼬박 2일을 잤다. 바로 3일 뒤에
시작한 학기로 각 나라에서 온 학생들과 수업을 듣고, 파티에
참여하거나 주변의 박물관이나 쇼핑센터들을 같이 다녔다.
　내가 교환학생을 간다 했을 때 주변에서 '부럽다, 많이 배우고

와'라고 많이 말하고 나 역시도 취업에서 벗어나 새로운 기회가 생길 수도 있다는 핑크빛 기대만 했었다. 그렇지만 여행과 달리 짧지만 학교생활을 하며 사는 것은 내 생각과는 달랐다. 어떻게든 되겠지란 생각으로 한국에서 영어를 제대로 준비하고 가지 않아서 말을 하는데 주저하고 실수라도 하면 부끄러워 더욱더 말을 하지 않았다. 대학교 때 우리 학교로 오던 외국 교환학생들이랑 교류하는 동아리를 했었는데, 한국인들과도 같이 어울려 놀았기 때문에 외국 학생들과 어울릴 수 있는데 크게 어려움이 없었다. 하지만 핀란드에서는 내가 하고 싶은 말을 하고, 수업을 듣고 발표도 해야 했기에 그때부터 살기 위해서 영어 공부하기 시작했다. '진작 좀 할 거'란 후회와 함께 말이다. 또 내가 살던 곳은 '플랫'이란 기숙사에 프랑스, 케냐, 나 이렇게 3명이 한 집에 살았다. 그런데 다른 플랫은 같이 사는 사람들끼리 서로 밥도 함께 먹고 자주 어울리는데, 우리 플랫은 각자의 방에서 나오지 않고 청소 규칙을 써 놓은 종이에 따라 일주일에 한 번씩 청소만 하는 개인적인 생활을 했다. 나와 프랑스 친구는 교환학생이라 다른 친구들과 교류하는 데 적극적이었지만, 케냐에서 온 친구는 학부생이라 학업과 아르바이트에 시간을 보내느라 우리와 교류가 거의 없었다. 그렇지만 그 친구가 구비 해놓은 많은 종류의 조리도구와 접시를 빌려줘서 요리하는데 덕 좀 봤다.

 해외 학교생활에 적응하는 것도 낯설지만 혼자 빨래, 장 보기,

밥해 먹기가 더 힘들었다. 처음 장 보는데 뭐를 사서 해먹어야 할지 몰랐다. 그래서 여기저기서 파티한다고 하면 처음에는 파티에 가서 밥을 얻어먹었다. 핀란드의 1월은 춥고 어두웠다. 나의 핑크빛 핀란드는 블루 핀란드로 변해갔다. 집에 다시 돌아가고 싶었다. 6개월만 있어야 하는 게 아쉬울 거란 예상과 달리 말로만 듣던 향수병이 내게도 왔다. 그렇지만 그럴 때마다 친구는 내게 '네가 언제 이런 경험을 해보니, 거기의 하루하루를 그림으로 그려봐. 거기서만 할 수 있는 것들을 찾아봐' 란 말로 재미 요소를 찾아보라고 했다. 그렇게 친구의 말로 재미를 찾아보고 학교에서 하는 운동 프로그램 중 하나인 줌바를 하면서 에너지를 얻었다. 또 3월에 열리는 창의력 수업을 듣는데 '일상의 놀이'란 주제로 그림도 그리고, 주변에 있는 소품들로 연주해 보면서 점점 재미를 느끼고 적응하고 있었다. 무엇보다 낮보다 길었던 밤의 시간에서 낮이 더 길어지는 시간을 맞이하고 있었다. 낮이 길어지면서 나의 밝은 기운도 예전보다 길어지고 있었다. 4월이 되자 꽁꽁 얼어 크로스 스키를 타고 걸어서 지날 수 있었던 호수는 이제 카누를 즐길 수 있을 정도로 얼음이 녹았다. 공원에도 사람들이 담요를 깔고 피크닉을 즐기고 있었다. 나도 교환 학생 친구들과도 삼삼오오 모여 피크닉을 즐겼다. 거기서 브라질에서 온 친구를 만났는데, 그 친구는 학부 학생인데 중학교 때부터 해외에서 학교를 다녀 중학교, 고등학교, 대학교 모두 다른 나라에서 졸업했다. 나는 바로 그 친구를 보자마자 물어보았다. "너 그러면 향수병 오지 않아? 향수병 오면 어떻게 해?" "어렸을 때는 향수병이 있었던 거 같은데 살다 보니 내가 맞지 않을 수 있다고 생각하게 됐어. 그러다 보니 오픈마인드가 되고 향수병이 안 오는 거 같아".

불편한 상황을 마주할 때마다 '왜 저렇게 할까? 이상해, 한국에 있었으면 안 그랬을 텐데' 이런 마음들로 더욱 집이 그리웠다. 더 넓은 세상을 경험하고자 나온 곳에서 받아들이기보단 글로벌 꼰대의 눈으로 세상을 바라보고 있었다. 그러다 보니 플랫에 같이 사는 프랑스 친구에게 별로 말도 걸고 싶지 않았는데, '그 친구도 어쩌면 말을 먼저 걸어주길 바랄 수도 있겠다.' 생각이 들었다. 그렇게 말도 한두 마디씩 건네다 보니 학기가 마무리될 때는 각국 애들이 각자의 나라로 돌아가는 파티를 할 때 같이 노는 친구들도 생겨 함께 다니곤 했다.

향수병은 일상에서도 온다. 함께 있어도 공감받지 못하는 외로움이 문득 올 때가 있다. 들여다보면 '원래 나는 이런데, 왜 남들은 저럴까'란 생각이 자리잡고 있다. 그럴 때마다 '여기에서는 내가 해오던 방식이 맞지 않을 수도 있어. 더 좋은 방법이 있을 거야' 란 생각과 심호흡을 해본다.

명품 오픈런? 나는 첫 차 오픈런

6월 아침 5시 30분, 보통의 사람들보다 이른 출근 시간. 첫차를 타러 정류장으로 가는 길을 걷다 보면 오늘 하루도 수 많은 사람들이 걸을 이 길의 첫 도장을 찍은 뿌듯함이 있다. 남들은 명품 사러 백화점 오픈런 하는데 나는 정류장의 오픈런을 한다. 무서운 영화도 못 보는 쫄보. 나는 겨울 5시 30분에 나갈 때 깜깜하고 아무것도 보이지 않아 누군가 나타날까봐 1분 거리의 정류장을 걷는 것도 무서웠지만 동지가 지나고부터 이른 아침의 햇살을 받으면 걸으며 기분 좋게 하루를 시작한다. 그래서 요즘은 가끔 걸어서 15분 정도 걸리는 정류장으로 걸어가기도 한다. 아침 10시만 되면 뜨거워지는 해로 점심시간에 걷기 어려운데 아침 5시 30분 출근길 산책은 가디건을 걸치고 신선한 바람이 불 정도라 걸으며 몽롱한 정신을 깨우기에 적당하다.

사무실에서 9시간 앉아있는 내가 계절을 느끼는 시간은 출근길, 퇴근길, 점심 먹으러 가는 길로 다 합치면 하루의 1시간 정도 된다. 오늘은 아침 9시부터 배가 고픈데 점심 때 까지 3시간이나 남아 회사 근처 편의점 초코바를 사러 갔다. 그때 잠깐 본

하늘은 비온 뒤 깨끗하고 구름도 적당히 있었다. 마치 겨울철 꽁꽁 언 호수 위에 눈이 쌓여 몽글몽글 있는 모양이었다. 조금 더럽게 말하면 곰팡이 낀 모양으로도 보인다. 더욱이 빌딩 숲을 배경 삼아 빌딩 사이로 보이는 구름이 예뻤다. 내가 언젠가 일상에서 보고 싶었던 그림이다.

내가 지난 6년 동안 내가 다닌 회사는 산업단지에 있던 회사였다. 길거리에 있는 마을 스피커를 통해 이장님 방송이 매일 들리고, 걸어서 편의점 가는 것보다 소를 키우는 곳이 더 가까운 그런 곳이었다. 나는 서울에서 일하는 로망이 있었다. 병원, 은행을 갈 때 연차를 쓰지 않아도 되는 곳에서 일하고 싶었다. 그런 마음이 통했는지 작년 10월부터 서울로 출퇴근을 하는데 이번 기회로 '해보니까 됐다.'라고 생각이 1주일 만에 들었다. '서울에서 일하다 보니 이동 시간, 점심 식비, 별 차이 없는 업무 등으로 나는 크게 좋은 점을 느끼지 못했다. 왜냐하면 경기도에 사는 나는 출퇴근하느라 바빴기 때문에 서울의 문화를 즐길 여유가 없고 출퇴근에 시간을 다 썼기 때문이다. (물론, 저번 회사는 공장이 있어 재택근무, 유연 근무제가 없었지만 서울에 있는 회사는 좀 더 유연한 근무를 하는 건 장점이다. 이건 업종의 차이 인 것 같다.) 그치만 이직을 안 했다면 계속 마음 속에 남아 '서울에서 일하고 싶다.' 하면서 현재 상태를 불평하면서 다녔을 거 같은데 해보니까 미련 없이 현재 상황이 100% 만족스럽지 않지만 내 일에 집중할 수 있게 됐다. 올해 마음 먹은 것 중 하나가 이도 저도 아닌 경계인의 상태를 조심하고, 내가 결정 한 것에 대해서 적극적으로 적응하거나 아니다 싶으면 원하는 것을 발견하고 실천하기이다. 오늘 하늘을 보면서 내가 언제가 일상에서 마주하고 싶던 그림 속에 있어 신기했고 또 예전보다 마음 먹은것 대로 살고 있어 뿌듯했다. 실(천하고) 수(정하기)를 통해 자란다.

욕 망 장 바 구 니 - 건 강 과 아 름 다 움

온라인으로 물건을 구매할 때 주로 이용하는 사이트는 네이버 비교 검색 사이트이다. 요즘 장바구니에 담아놓은 것들을 보니, 닭 가슴살 도시락, 냉동 떡, 수분크림이 있었다.

1인 가구인 나는 집에서 밥을 해먹기보단 밀키트나 냉동으로 된 조리제품을 사서 전자레인지에 돌려 간단히 먹는다. 혼자 해먹으면 식재료의 양도 많고, 한 번 해놓으면 다 먹을 때까지 같은 음식을 먹어야 하는데, 밀키트를 사면 남는 재료도 없고 설거지 양도 많지 않으니 간편하다. 1인 가구로 산 지 7년이 다 되어가는데 집에서 밥을 먹을 때 주로 밀키트로 된 음식들을 먹었다. 밀키트가 나를 키웠다. 한편, 배달 음식은 거의 시키지 않는다. 포장으로 인해 쓰레기도 많이 나오고 최소 주문 금액을 맞춰야 하기 때문에 양도 많고 비싸기 때문이다. 그러다 보니 밀키트를 한 달에 한 번씩 주문하는데 닭 가슴살로 만든 도시락을 자주 시킨다. 예전에는 비비고에서 나온 볶음밥을 먹었는데 종류가 10종류 되는 볶음밥을 몇 달째 계속 먹으니 너무 질렸다. 그러다가 친구가 다이어트하느라 닭 가슴살 사이트에서 장을 보는데 생각보다 단백질 위주의 식단으로 칼로리도 적고 다양한 음식을 먹을 수 있어서 닭 가슴살 도시락을 먹기 시작했다. 그리고 양이 적어 저녁에 집에 와서 도시락을 먹고 2시간 내에 자도 속이 편했다. 그리고 새벽 5시에 일어나 5시 30분에 출근하는 나는 하루를 일찍 시작한다. 12시 점심시간을 기다리기 까지는 배에서 꼬르륵 거리는 소리가 요동치는 데, 아주 곤욕이다. 가끔 점심에 운동 가는 날이면 저녁에 한 끼만 먹다 보니 폭식을 했다. 그때 한 달에 2~3kg가 쪘다. 그 이후로 간편하게 아침에 먹을 수 있는 간식들을 찾았다. 미숫가루, 두유, 떡 등 책상에 앉아서도 간단하게 먹을 수 있는 간식을 찾으면서 내 장바구니에는 먹을 것들로 채워졌다. 나는 밥이 중요한 사람이다. 특히 건강하고 간편한 음식 말이다. 내가 기억할 수 있는 가장 어린 시절부터 아침 식사를 꼭 챙겨 먹었다. 식탁에 앉아 먹을 시간이 없던 날이면 엄마가 항상 흰밥에 김을 말아준 그 밥을 교복 입으면서 오물오물 씹으면서라도 아침에 뭔가를 먹었다. 작년까지 다니는 회사에 식당이 있어 그때까지는 누가 차려준 밥을 먹었으니, 아침을 먹는 게 별일 아니었다. 그리고 할머니와 같이 살 때 할머니께서 식재료를 살 때는 입에 들어가는 거니 비싸더라도 좋은 것을 먹으라고 항상 말씀하셨다. 나의 어렸을 때 길러진 식습관이 지금까지 영향을 끼치니 지금도 아침을 꼭 챙겨 먹게 되고 웬만해서는 건강한 것을 먹으려고 한다.

그리고 내 인생을 통틀어 요즘 피부에 가장 많은 시간과 돈을 쓰고 있다. 코로나 시작과 함께 마스크와 스트레스로 여드름과 홍조가 심해졌기 때문이다. 2년 정도 방치하다 부모님과 친구의 제안, 그리고 나도 신경이 쓰이니 피부과에 가서 레이저 치료를 하고 있다. 큰 비용으로 주저하였지만 어차피 할 거라면 빨리 하자란 생각으로 시작하였다. 자연스레 스스로 관리하는 방법과 피부에 좋은 습관을 찾기 시작했다. 외모에 크게 관심을 두지 않던 나는 여태 동안 나의 피부 타입을 모르고 어떻게 피부를 관리할지 모르고 있어서 이렇게 방치했다는 생각이 든다. 내 피부는 민감성, 건성이다. 선생님의 설명을 듣기 전에 여드름이 나서 지성인 줄 알고 지성 화장품을 살 뻔했는데 그랬다면 또 건조한 내 피부들은 목말라하고 있었겠지. 생각해 보면 내 머리카락은 안감고도 2일은 버틸 수 있어 여행할 때 편한 머리다. 내가 건성인 걸 머리카락으로도 알 수 있었을 텐데, 이제야 내 피부와 모발 상태의 조각이 맞춰진다. 알았더라면 수분크림 좀 열심히 바를 걸 하는 아쉬움이 들면서 요즘 수분크림과 선크림을 아주 열심히 바르고 있다. 평소에 미스트 뿌리는 친구가 대단하다고 생각했는데, 내가 그랬어야 했다는 생각이 들면서 지금이라도 회복하기 위해서 건조하다 느껴질 때 수분크림을 다시 바른다. 한 살이라도 젊어지길 바라면서 말이다. 예전에 언뜻 듣기로 피부가 좋아야 복이 들어 온다고 (피부과의 상술이 아닌가 싶기도 하다) 했던 말이 생각나 피부가

깨끗해지면서 복이 들어오길 바란다. 요즘 장바구니에 물건을
보니 내가 건강과 간편함, 아름다움을 찾고 있는 나를 발견한다.

이소영

주어진 대로 사는 것이 아니라 주어진 것을 누리며 만들어가는 삶을 살고자 한다. 아이들, 뜨개, 강아지, 식물, 그리고 소소한 수다를 사랑함

사 랑 해 서   그 랬 지

용서는 쉽지 않은 일이다.

 그것이 얼마나 지난한 지를 잘 보여준 영화가 <밀양>이라고
생각한다. 끝까지 보지 못 했던 그 영화에서 다룬 용서의
딜레마는 다음과 같다.

A가 B에게 돌이킬 수 없는, 해서는 안 될 상처를 입혔다. B는
오랜 시간 그 상처를 앓으며 고통스러워하다 꽤 긴 시간이
흘러 신을 통해 용서를 할 수 있는 마음을 갖게 된다.
그리하여 A를 만나게 되는데 A는 이미 종교에 입문하여 신이
용서해 주었다며 평화로운 얼굴을 한다. 어쩌면 B는 용서할
권리마저 잃게 된 갓인지도 모른다

 사실 나는 용서는 인간의 영역이 아니라고 생각한다. 우리가
살아가기 위해서, 삶을 견디기 위해서…용서라는 단어를

사용하지만 인간 자체는 그게 거의 불가능하다고 생각하는 편이다.

용서라는 단어 뒤에 흔히 '받는다'라는 서술어를 쓰게 되는데 그때의 뉘앙스는 일반적으로 물건을 주고 받는 느낌보다 위에서 하사해 주는 느낌이 든다(적어도 나는) 그리고 보면 상처 입은 사람이 느끼게 되는 강력한 감정 중 몇 가지는 무력감과 관계가 깊다. 일어나지 말았어야 할 일에 대해서 스스로를, 소중한 사람을 혹은 소중한 것을 지키지 못 했다는 패배감에 가까운 무력감. 이를 다르게 보자면 상처를 입는 순간 가해자가 강자가 되고 피해자는 약자가 되는 불공정한 힘의 논리가 생긴다고 볼 수도 있을 거다. 그리하여 상처를 기억하는 것은 스스로를 부당하게 약자가 되었다고 느끼게 하고 고통에 더해 분노와 억울함을 느끼게 한다.

해외 드라마를 보면 <당신은 피해자가 아니에요>라는 대사가 종종 나온다. 그것을 보며 나는 아니 피해자에게 그런 말을 하는 갓이 무슨 의미가 있나 했는데 이후 나는 상처 받은 사람이 자신을 약자로 인식하고 스스로가 만든 감옥에 갇히지 않게 하기 위한 것이라고 이해했다. 내가 약자여서 그런 일이 일어났다고 생각하면 그 사람은 자신의 무릎으로 일어설 수가 없기 때문이다. 약자니까 당하는 것이 아니라 약자니까 보호 받도록 하는 것이 사회적 계약들이고 우리 부르는 사회적 안전망이며 그것이 사회의 주요 기능이기 때문이다.

하지만 개인적이건 사회적이건 그런 상처를 입고 나면 자신이 약자여서 그랬다는 절망감에서 벗어나기는 쉽지 않다. 그 상황에서 여러 가지 시도가 가능하겠지만 나는 상처 입은 사람이 애초에 거기에 서 있던 목적을 기억하는 것이 필요하다고 생각한다.

나쁜 누군가에 의해서건 불운에 의해서건 상황 파악의 부족 때문이건 일어난 일의 결과에 무너지기보다 내가 애초에 어떤 꿈과 목적으로 그 자리에 있었는지, 실패는 했지만 그 꿈과 목적을 어떻게 이어가서 자신의 삶을 비극이 아닌 원하던 장르 혹은 원하던 장르가 아니어도 만족할 수 있는 이야기로 만들 수 있을지에 대한 고민이 그 사람의 마음 무릎에 힘을 줄 것이라고 생각한다.

그리하여 이 순간 <사랑해서 그랬지>하는 말이 필요한 이유는 어떤 결과였건 사람은 사랑을 지향하며 움직인다고 생각하기 때문이다. 그는 그 순간 햇살이 좋아 햇살을 향해 달렸을 것이고, 가족의 웃음을 위해 거기에 있었을 것이고, 이상을 가지고 그 자리에 갔을 것이다. 상처가 감옥이 되지 않기 위해서는 상처의 순간을 무한재생하는 경지를 넘어 애초 자신의 걸음이 무엇을 향했는지 기억하고 그 걸음을 이어가야 하는 것이다.

그러니 이제 와 생각해보면 오래 상처를 품고 있었던 나에게는 <사랑해서 그랬지>라는 말이 산소처럼 소중한 때인 것 같다.

어둠이 다독인다 : 죽은 자의 집 청소

 작가 김완이 쓴 <죽은 자의 집 청소>를 읽고 아이러니하게도 힘을 내게 되었다. 내가 얼마나 공감을 원하는 존재인지 알게 되었기 때문이다. 이 책은 결코 편한 책이 아니었다. 그럼에도 불구하고 숨 쉬는 것조차 편하지 않던 나는 저 책을 읽고 숨을 쉴 수 있게 되었다.

 책 중에서 한참 동안 멈춰있게 만들었던 이야기는 텐트를 치고 살다가 떠나간 어느 여자에 대한 글이었다. 그 책에서도, 다른 매체에서도 모두 그 이야기를 많이 다뤘지만, 사람들이 이상하다고 하는 그 이야기가 나에게는 너무 자연스러워서 공감이 되고 위로가 되었었다.

 집안에 텐트를 치면 우선 난방비에서 약간이나마 자유로워진다. 그리고 냉방을 할 수 없는 여름에는 벌레로부터 보호할 수 있는 행위이다. 그리고 그 어느 계절이건 현실로부터 스스로를 보호할 수 있는 행위이기도 하다.

몹시 가난하고 외로웠던 그녀는 때로 어디론가 여행을 가고 싶었을지 모른다. 더 자세히는 여행가는 기분으로 기쁘게 살고 싶었을 것이지만 가난은 그런 선택권도 허용해주지 않기에 아마 그녀는 대부분의 시간을 그 작은 공간에서 혼자 적막과 어둠을 견디며 보냈을 거다. 그리고 나는 그런 그녀에게 텐트가 마치 캠핑이라도 간 듯한 환상으로 위로가 되었을 것이라고 생각한다. 그녀의 이야기지만 내가 해석한 나의 이야기이기도 하다.

할머니를 요양원에 모신 첫 해는 신의 손이 없었다면 살아남을 수 없는 지경이었다. 당장 일어나 앉는 것도 힘든 내가 학원을 잘 운영할 리도 없고 바닥난 체력은 동시다발로 다시 떠올리기도 싫은 증상들을 몰고 왔다. 할 수 있는 것은 오직 그냥 하루를 견디는 거였고 나중엔 시간 관념도 없어서 그냥 시간 속에 무화되는 느낌이었다. 그 와중에 첫 강아지 마리가 떠났고 옆집 아주머니도 암으로 세상을 떠났다. 건물 전체가 죽음같았고 나도 그 죽음의 그림자에 짙게 물들었었다.

그럼에도 불구하고 나의 아주 친한 친구조차 그 시절의 나를 참 밝고 쌩쌩했다고 기억하는 것은 슬픈 일이었다. 실제의 나는 그렇게 무화되고 있는데 아이들을 보거나 사람들을 만나면 <예전처럼>의 메뉴얼을 따라 행동했기 때문에 사람들에게는 밝게 보였지만 사람들에게 밝게 보일수록 나는 더 힘들었고 더 외로웠었다.

그랬던 나는 그 책에서 그녀와 만나며 슬픔과 고독을 나누었지만 그녀는 이미 죽음을 택한 사람이었고, 나는 그런 그녀 덕에 주어진 삶을 더 잘 살아내야겠다 생각했다. 그녀의 슬픈 삶이 아이러니하게도 내 삶을 기쁨으로 밀어낸 것이다.

생각해보면 밝은 것만 빛이 되는 것은 아니다. 때로는 어둠 속에서의 융합이 무념무상의 상태로 상처를 다독이고 빛나게 한다.

부 지 런 함 에 서   나 오 는   우 아 함 을   꿈 꾸 며

이사 오고 한 이 삼 주 정도 지났을 무렵이다. 할머니와 헤어진
지도 딱 그만큼이었어서 낙엽 속에서 낙엽같이 걷고 있었다.
그런데 바로 그 때 '바스락'

그 이후에도 사사삭 낙엽 위를 걷는 소리가 들렸다. 한참 산을
바라보다 발견한 것은 너구리 두 마리. 11월 중순 무렵의 헐벗은
나무들 사이에서 깊게 내리꽂는 햇살을 부드럽게 받아내며
너구리 두 마리가 느긋하게 햇살을 즐기고 있었다. 그
비현실적인 느낌이라니….두 마리는 지나가는 사람들도 별로
신경쓰지 않고 태연히 그렇게 오래도록 거기에 있었다.

이번에 사는 집은 산과 매우 가깝다. 산 등산로 입구까지
10미터도 안 되는 거리에 있으니 사실은 거의 산 속에서 사는
느낌. 아침에도 저녁에도 새가 우는데 시각마다 계절마다 모두
다르다. 어떤 새는 하하하 웃고 어떤 동물은 여자같이 비명을
지르는가 하면 어떤 동물은 베이스의 울림으로 가끔씩

어우어우한다. 올해는 다양한 크기의 벌들도 다 봤고 나비는 색깔별로 크기별로 다 본 것 같다. 특히 오늘 낮에 보았던, 보라꽃잎같은 아주 작은 그 나비들은 만화 속에 들어온 것인가 싶을 만큼 비현실적으로 예뻤다.

그런 풍경 속의 나는 마치 벤쟈민 버튼의 시계은 거꾸로 돌아간다는 영화에서처럼 늙은이에서 조금씩 젊은이의 모습으로 변해간다. 내 생각에는 약간 나이든 사람 정도로 보이는 게 맞는 것 같지만 내 고단함으로 나는 오래도록 늙은이었고 마음이 회복되면서 조금씩 내 나이에 맞는 사람, 젊은 사람이 되고 있다. 한동안의 나는 체력도 안 되어서 가만히 서 있을 때도 노인처럼 무릎을 구부리고 서 있었고, 계단도 난간을 꼭 잡아야 내려올 수 있었다. 그러나 이제는 무릎 쫙 펴고 서 있을 수 있고, 계단도 난간을 잡지 않고 뛰어내려올 수 있다.

이렇게 상태가 나아져가니 종종 타샤 투터 생각이 난다. 여자로서도 예쁘고 꽃도 정말 잘 가꾸고 생활예술인인 것처럼 창의적인 것도 많이 만들던 여자. 여자로서 그 모습이 부러운 것이다.

지금 우리집은 베란다에 햇살도 많이 들어서 내가 부지런하면 베란다 풍경만큼은 어느 정도타샤튜터처럼 흉내는 낼 수 있다.

딸기도 열 개 넘게 따 먹었고 지금은 고추와 가지가 자라는 중이다.

 이제 나를 돌보는 일만 남았다. 타샤처럼 자기 스스로가 여자인 것을 즐기고 부지런함에서 나오는 우아함을 갖춘다면 얼마나 멋질까…. 얼마나 있게 될 지 알 수 없는 이 곳에서 한껏 행복을 누리고 나가게 되면 좋겠다

친 구 는 ' 나 ' 를 모 아 주 는 사 람

페이스북 지인의 대문에서 저런 글을 읽었다. 친구는 여기저기 조각 나 있는 나 자신을 모아주는 존재라고 있었다.

정말 그랬던 것 같다. 마음이 잘 맞는 사람과 함께 하면 돌아오는 길에 가슴 속이 보름달처럼 충만했다. 그러나 그런 기분을 느끼지 못한 지가 오래 되었고 그것은 내 친구들 때문이 아니라 나 자신때문이다.

...

내가 다시 글을 쓰게 된 것은 2021년, <매일 글쓰기>던가….일정 비용을 내고 매일 조금씩 글을 쓰는 모임이 있었다. 일단 집에 와서 즐거운 마음으로 해야 하는 일과 내 글을 읽어줄 사람, 내가 읽어야 할 글들이 있는 게 너무

행복했고 그 8주 동안 나는 다시 글을 쓸 수 있는 사람으로 변해 있었다.

하지만 그게 다는 아니었다. 전보다는 글을 쓸 수 있게 되었지만 전같이 좋지는 않았고 전같이 좋지 않아도 괜찮지만 현재로서도 꼭 좋지는 않았다. 그러다 그 이유 알게 된 게 온라인 쇼핑몰 장바구니에 담긴 물건을 살펴보면서부터였다.

....

내 장바구니에 담긴 물건은 다육이다(조금 전에 거의 다 사버렸다) 지금 집은 전에 있었던 공방 크기 정도의 베란다가 있다. 그것도 정사각형으로!!! 덕분에 이번 봄에는 딸기 수확으로 기쁜 시간을 보낼 수 있었다. 딸기 외에도 온갖 식물이 쑥쑥 성장하는 그 곳에서 내가 다육이를 키우고 싶었던 것은 그 곳에서 누렸던 낭만적인 순간들과는 달리 굉장히 현실적인 이유에서였다. 가만히 있어도 벌리는 돈을 벌고 싶었다. 하하

다육이 하나는700-900원이면 살 수 있다. 그런데 우리 베란다에서는 무척 잘 자라서 금방 두 배 이상은 받을 수 있을 것 같은 크기로 자랐다. 얼마 안 되는 돈이지만 대량으로 키우면 즐거운 노동으로 애쓰지 않고 돈을 벌 수 있으니 여러모로 좋지 않을까 했던 거다.

그래서 나는 틈틈히 돈이 될 만한 다육이를 장바구니에 모았다. 내가 잘 키울 수 있는 품종이 한정되어 있기 때문이었다. 하지만 금방 결제를 하지는 못 했다. 비싸지는 않은데 뭔가 내키지 않았다. 그러다 시간이 지났고 슬기샘이 보내 준 글제를 보면서 그 다육이들에 대해 생각했다.

그래 돈을 벌고 싶어했으니 경제적인 부분에 대한 조바심이 있었던 것이 일단 사실이다. 수업이나 인원에 변동이 오면 감당할 수 없는 체력인데 할머니를 모시며 생긴 마이너스를 해결하려니 조바심이 나서 푼돈이라도 정기적으로 꾸준히 모으고 싶었다.

하지만 한 겹을 벗기고 생각해 보니 할머니의 요양원행, 마리의 죽음, 다시 할머니의 떠나심. 그 사이 나는 내내 그 생각들로 꽉 차 있었다. 무려 6년 동안 늘 죽음 속에 살고 있던 거다(2016년 할머니가 요양원 가신 것이 나에게는 할머니의 죽음과 다름 없었다) 그래서 나는 이제 정말 살고 싶었는지도, 물만 주면 무섭게 자라는 다육이를 보며 푸릇푸릇하게 살고 싶었는지도 모르겠다.

하지만 웃자란 다육이를 보는 것이 그렇듯 막무가내로 짜내는 생명력 역시도 뭔가 내키지 않았다. 한 편으로는 늘 죽음에 관한 생각으로 꽉 차 있기는 했었도 또 다른 한 편의 나는 온갖 힘을 짜내서 필요 이상 달달거리며 돌아다니고 있었다.

이제 더 이상 그 이유를 찾는 것은 중요하지 않다. 중심이 잘 잡히고 적절한 속도로 성장한 다육이가 예쁜 것처럼 일단 내가 내 마음 속에 엉덩이를 붙이고 앉아 수 년 동안 조각났던 나를 모으는 게 필요하다는 생각이 들었다. 친구가 해 줄 수 있는 부분도 있지만 우선은 내가 해야 하는 작업이 있는 것이다.

그리하여 오늘 다육이 군단을 주문하면서 내가 다짐한 것은 이런 것이었다.

오래도록 '나'가 흩어져있던 사람은 거기에 익숙해져서 자신을 모으는 게 낯설다. 그러니 자꾸 생각하지 말고, 마음에 정한 것은 앞도 뒤도 보지 말고 3개월은 무조건 지속하며 사랑하기로. 그 후 안고 갈 것인지 완전 버릴 것인지 결정하기로 하고 그 전까지는 후회없이 사랑하고 푹 빠지기로….중심 잡힌 다육이처럼 3개월은 그렇게 살기로…